너는 지금 피어나는 꽃

이선수

1964년 경기. 이천. 마장에서 태어나
          그곳에서 마장상업고등학교를 마침
1983년 IBK기업은행에 입행하고
1999년 성균관대학교(야간)를 졸업하였으며
2024년 7월 41년 만에 정년퇴직 예정

2024년 7월 정년퇴직과 회갑을 기념하여
          첫 시집 『너는 지금 피어나는 꽃』 출간

꽃 한 송이에서
그리움을
말
다

너는

지금

피어나는

꽃

이선수 지음

_____ 님께

피어야 꽃이고,

웃어야 사람이래요.

우리 함께 웃음꽃 피워봐요, 함박웃음♪

서시(序詩)

울고 있는 밥풀 한 알
이름 모를 들꽃 한 송이
바쁘게 제 갈 길 가는 개미 한 마리

작은 것에 눈이 가고 마음이 닿아
천명(天命)인 듯 너희를 읽고 쓴다.

내가 곧 너가 되니,
울고 있던 내가
작지 않은 너희에게
오늘도
큰 위로를 받는다.

너희가 하나하나의 우주인 것처럼
나도 작은 우주를 이루어 가리라.

차례

2부. 내가 아는 농부

3부. 꽃이 피었다가 지는 동안

1부
문자 놀이

날것

날것이다.

날 것이다.

펄떡펄떡 뛰는 갓 잡은 물고기처럼 날것이다.
뼛속 비우고 나는 새처럼 날 것이다.

날마다 나는 날 것이다.

날것으로 詩 쓰는 나일 것이다.

독해(讀解)

오늘 할 일을 다한 경운기가
제집으로 가기 위해 밭에서 나와
맞바람에 검푸른 땀을 흩날리며 아스팔트 길을 달려간다

길바닥에 흙 부스러기와 함께
경운기 앞바퀴 홈이 순한 흙을 다져 먹은 밥,
'ㅅ'자 모양 흙밥 두어 개 뿌려 놓고는
헉헉 숨을 내쉬며 나의 生만큼 바삐 간다

신이 내게 준 숙제인가
무슨 말을 쓰려다 말았을까

시험문제를 받아든 학생이 되어
'시옷'이 들어간 단어들 하나씩 읊어 본다

삶
서!
숨,
쉼,
詩
세상
혹시 '사람 人' 자(字)일까

우리네 인간(人間)이라고 사는 게 별건가
태어남을 당하고, 무덤을 찾아가는 길 위에 잠시 서 있을 뿐.

"멈춰 서서 숨을 좀 고른 다음,
험한 세상 잠시나마 쉬어가라는 건가요?"

고개 들어 답 대신 물음표를 하늘로 던지고는
저녁의 삶이 기다리는 집으로 향했다

문자 'ㅅ'

사람이 그렇고
사랑이 그랬다

넘어질까 기댈 수 있도록
서로의 곁을 내어 주는

'ㅅ'으로 시작되는 문자

네가 없으면 내가 쓰러지고 말아
아무런 의미 없는 그저 하나의 '삐침'

너가 있어
나는 한 'ㅅ'間이 된다

얼굴 맞대인 채로 너를 안으면
마침내
내가 너에게 의미가 된다

아무것도 두렵지 않은 내 사랑은

고사

새로 개점하는 지점에서
지점장은 고사(告祀)를 지내자고 했다

금고신(金庫神)에게 절하는 것도 서열이 있어서
지점장부터 차례로 책임자들이
무슨 좋은 일을 생각할 때 잡았는지
지를 때려잡은 인간들을 용서한다는 듯
함박웃음 떠억 짓는 돼지 입에
만 원짜리 지폐를 한 장씩 물리고는
다들 그만큼씩 웃으며 절을 했다

우리 행원들은 뒤에 섰다가
공동으로 하는 절만 따라 했는데
마지막 책임자가 절할 때는
다들 웃음을 참느라 힘들어 했다

김 대리님 오른쪽 양말 뒤꿈치에
커다란 구멍이 나 있던 것이다
때가 잘 타지 않는 검은색 양말이었다

김 대리님은 왼발로, 드러난 발꿈치를 슬쩍
덮으며 겸연쩍은 웃음으로 넘겼지만

구두를 벗고서야 알게 되는
한 집안 가장의 무게가
내 웃음을 짓눌렀다

그 뒤로 가장이 된 내 삶도 쉽게 살아지지 않는 것은 왜일까

티브이에서 고사 지내는 장면을 보다가
옛일(故事)을 생각하니
오래전 명퇴(名退)하신 김 대리님의 안부가 궁금하다

삶은 계란을 먹으며

삶은 계란이다.

그대로 놔두면 상하기 십상이다

허기진 누군가의 요기가 되거나
병아리로 부화하는 숙명을 가진
닭의 알처럼

인생도
늘 깨어 있는 생각으로
자신의 존재 이유를 찾아가야 한다

(계란처럼 남의 한 끼 식사로라도 쓰이는
 삶을 살아야지 하는 생각에)

삶은 계란을 입에 넣으며,
내 인생은 상하지 않았나 곱씹어 본다

'口'이 'ㅇ'으로

'사랑한다는 것'은 사람의 일이라,

'口'처럼 모난 부분을 지니고 있어 덜컹대던 '사람'이
그대를 만나고서 모서리가 깎이고 또 닳아
'ㅇ'으로 온전해져 '사랑'으로 변하는 일

삐져나온 마음을 두들겨서
말랑말랑한 찹쌀떡 같은 사랑, 만들고 싶다
사랑하여서 너무나 사랑하여서
너의 이름을 부를 때는 목까지 메는 사랑, 하고 싶다
살아오는 동안 지은 죄가 많아서
신의 용서로 완성되는 사랑, 받고 싶다.

"사랑해"하고 소리 내어 보자

몽돌에 파도가 다녀가는 것같이
동글동글한 사랑, 그에게로 굴러가도록

꽃물 잉크

옛적에 지용(芝溶)*이 달개비 꽃물로
벗에게 편지를 썼다는 말을 주워들어서
나도 꽃 색깔별로 잉크를 만들어 볼 생각이다

사랑하는 이에게 편지를 쓰겠다고
한 움큼 '파랑' 달개비꽃을 따서

꽃잎 이겨 만든 하늘빛 잉크
그 꽃물을 만년필 컨버터에 채우고

한 자 한 자 또박또박 간신히 써 가다가,

'나, 그대를 사라……'

어느새 뜨거운 마음이 차올라
못다 채운 문장

근질근질 몽글몽글 피어오른
파랗게 채색된 미완성의 단어들이 방안에 떠다니고
낯 뜨거워져 얼른 서랍에 구겨 넣은 연서

아, 이래서야 '노랑' 애기똥풀꽃은 언제쯤 딸까

* 지용 : 정지용 시인

함장(含章)*

날이 아직 춥다
봄이 오려다 머뭇댄다

꽃은 아직 내면이 덜 채워졌는지 묵언수행 중

꽃봉오리, 가득 부풀어 오르다 말고
때 기다리는 함장축언**이란다.

"사랑한다"는 말, 입 밖으로 내지 말 것을
그 옛사랑도 그리 여물지는 못했었던 게다

벙글어 터진 꽃이 보고 싶은 날이다

* 함장 : 꽃봉오리가 처음 맺혀 활짝 벙글어질 때까지 온축하여 몹시 비밀
스럽게 단단히 봉하고 있는 모습

** 함장축언(含章蓄言) : 안으로 머금어 말을 뱉지 않고 가만히 쌓아 두라 (다
산이 초의선사에게 준 증언첩 중)

바람든 무

다디단 가을무를 뽑아
좋아하는 무생채를 아내에게 해달라고 할 참이다

두어 개만 있으면 되니 이왕이면
무청이 실한 놈으로다가, 쑤욱 쑥
저항 없이 뽑힌 희고 순한 연두

순순히 대준 목을 싹둑 잘라
무청은 무청대로 삶아 된장에 무쳐 먹기로 하고
닦은 무를 아내에게 주니
채를 썰려고 가슴께를 동강

아뿔싸! 속이 검게 탄 채로 문드러졌다
우리 엄마 속을 들여다봤다면 이럴까.

도(道)를 깨친 무우*인가?
무가 무(無)가 되는 없는 것의 쓸모
속을 버려 잎을 푸르게 했구나
너는 몸을 태우고 비워 머리카락엔 윤이 나는데

쓰흡, 어쩌냐
고추장에 쓰윽 쓱 비벼 먹을 생각에
입 안 가득 고인 이 침을

* 무우 :
1. 줄임 말인 '무'의 본말
2. 舞雩歸詠(무우귀영) : 무에서 놀고 시를 읊으며 돌아온다는 뜻으로, 자
연을 벗 삼아 도(道)를 즐김을 이르는 말.《논어》<선진> 편

포노 사피엔스*

오늘도 일어나자마자 스마트폰을 들고 변기에 앉는다

이제는 손에 네놈이 없으면 똥을 눌 수가 없는
나는 포노 사피엔스

따뜻하고 포근한 엄마의 손길인가, 네가 곁에 없으면 잠도 못 이루는
나와 너는 모두 노모포비아** 환자

* PHONO SAPIENS : 스마트폰 없이 생활하는 것을 힘들어하는 사람(휴대
폰을 신체의 일부처럼 사용하는 세대)

** NOMOPHOBIA : 휴대 전화가 없으면 불안감과 공포감에 휩싸이게 되는
공포증

톱밥은 밥인가?

톱밥은 밥이 아니다
밥이 아니라 똥이다

배설하는 것은 똥

나무를 자르면
나무를 켜면
땅으로 쏟아 놓는 톱의 똥

톱날 사이가 먹은, 그래서 밥인가
아니다

똥처럼 배설해야 톱이
제 갈 길을 더 잘 갈 수 있다면
땅에 떨어진 배설물만이
밥이라 할 수 있지 않을까

이 세상을 움직이게 하는 것들은

모두가 밥이다.

게으름을 피워 아내에게
잔소리 한 번 듣고서야 움직이는 나에게
욕이 밥이 되는 것처럼

미루나무

파란 하늘을 올려다보아야
당신 생각을 하는 것처럼

우듬지의 몇 안 남은 나뭇잎에 앉아
졸고 있는 바람을 보고 나서야
나무의 이름을 생각하게 된다

미루나무를 미류나무로 알고 있었다
인류를 인루로 쓰지 않듯이
그저 미국에서 건너온 나무려니 생각했었다

미국 버드나무란다
어째서 미류(美柳)가 미루가 된 것*인지
설명해 주는 이는 없었다

"미. 루. 나. 무."하고 소리 내어 보니
이제는 불리지 않는 당신의 이름이 어색한 것처럼 영 어색하다

왜 떠나게 됐는지 알 수 없었던 당신을,
미루나무가 데려다준 당신을 한 번 불러 본다

호명(呼名)하는 이 없는
당신도 참 딱한 시절이다

* '미루나무'는 '미류나무'의 모음이 단순화한 형태로 어원적으로 '미류(美柳)'에서 온 것 <표준국어대사전>

무등산

무리가 무등*을
태우고 또 태워
오르는 벽

그리고 또 절벽

길 아닌 곳을 오르려니
짓밟히는 은꿩의다리와 산꼬리풀
(그러나 그 풀들은 서로를 모르는 사이),
그들의 응원을 받으며 입석대 지나 서석대 넘는다

무너지기도 하고
다시 오르기도 하는데
무지렁이라 불리던 약초꾼도
어깨를 보태어 마침내 넘고야 마는,

산 너머의 자유

그리고 무등(無等)

* 무등 : 무동(목말)의 경기 방언

2부

내가 아는 농부

농자천하지대본(農者天下之大本)

잡초라는 고약한 이름을 가진
가녀린 풀을 뽑을 때조차도

무릎을 꺾고 허리를 굽혀,

예를 갖추는 농부의 마음

내가 아는 농부

가뭄 뒤의 단비에
여름을 견딘 누런 벼 이삭에
겨울 비닐하우스를 데우는 태양에

그대, 대자연에
고개 숙여 감사한 적이 있는가

나는 그런 농부를 본 적이 있다네

냉해로 감자가 다 죽던 해
그이는 하늘을 원망하지 않았다네
그것도 순리라고 받아들였지

내가 하늘에 대고 욕지거리를 해댈 때
농부는 죽은 감자 밑동을 말없이 쥐고
뽑아 대기만 했어

그가 빚은 생명들은
한 알 한 알마다 귀한 말씀을 품고 있었는지
그저 먹는 것만으로도 우리에게 생명의 양식이 되었다네

북을 돋운 봉긋한 밭이랑을 투욱 툭 가르는
하지감자가 다 영글었는지
오늘도 감자 밑을 파보기만 하는 농부, 무심(無心)하다.

혹여 그늘진 밭둑에서 사이참 먹던 그이가 막걸리라도 한잔 권하거든
'어떻게 이 넓은 밭에 풀 한 포기가 없어요!'라고만 말해 주시게

그대의 그 말 한마디면 막걸리값은 다 치른 거라네
혹시 모른다오, 거기다가 덜 여문 알감자라도 몇 알 캐서 줄지도

전봇대 _ 아버지와 자(尺)

한길에서 집으로 가는 길
어머니의 굽은 등같이 추욱 늘어진 밭둑엔
어쩌다가 고향 집에 오는 자식들 방문 횟수처럼
전봇대가 듬성듬성 일직선으로 서 있다

앞마을에서 우리 동네까지는 전봇대가 다섯 개
아버지는 직선으로 이백오십 미터라고 하셨다
전봇대와 전봇대 사이의 거리는 오십 미터

전봇대는 아버지의 자(尺)다

아들의 머리가 커 갈수록 더 멀어진
아버지와의 거리는 어떤 자로 재어야 할까

일촌(一寸)*, 가슴과 가슴이 맞닿을 사이의 거리인데
전봇대보다 멀리 저만치 떨어져 있는
아버지와, 나는 한 번도 포옹을 못 해 본 사이

"왜?"
전화를 드리면 넘어오는 아버지의 칼날 같은 단 한마디의 말
그 '왜'의 길이는 또 얼마인가
직선의 날카로움에 베인 날들.

전화선은 신의 빨랫줄인가,
슬픔처럼 먹구름 몇 채 널려 있다

어떤 전봇대는 하늘에 닿아 있어서
가끔 전화선으로 하느님의 전언(傳言)도 실어 나른다는데

그 위로의 말씀을 들을까 하여
아버지만큼이나 꼿꼿하게 홀로 서 있는
전봇대에 귀를 한 번 대본다
양손으로 감싸 안아 본다

서늘하여 잠시 주춤하였지만,
온기를 나눠 우리는 둘 다 조금씩은 미지근해졌다

널어놓은 슬픔은 조금 마르겠지만
오늘도
아버지를 안아 볼 용기는 내보지 못하였다

아, 나는 아버지 생전(生前)에 손이라도 한번 잡아 볼 수는 있을까

* 一寸 : 아버지와 아들의 촌수이며, 길이를 나타내는 단위로 3.3센티미터

부끄럼

검은 윤기(潤氣)가 돌기까지 하는
마디는 굵고 살이 없어
살거죽과 뼈가 붙어 있는
아버지의 손가락은 까마귀의 발

아버지는 손을 잘 보여주지 않으려고 하신다.

사다 드린 지 몇 년이나 되어
먼지가 수북이 앉은 욕실의 남성용 화장품은

이젠 쓸 수도
필요도 없는, 그러나
버릴 수는 없는 아들이 사다 놓은 것

손을 닦고 화장품을 바르려던 나는
무춤하다가 먼지를 털어 그대로 넣어 놓고
로션도 스미지 않는 주름진 나무토막
자식들을 위해 희생한 그 거룩한 손을 생각한다.

희멀건 손
펜대만 굴리던 내 손을 우두커니 바라보다가
붉은 부끄러움이 광대뼈 밖으로 기어 나오는 것을
때가 낀 거울 속에서 본다

어떤 실종_아버지의 지문(指紋)

철물점에서 볼 일을 다 보신
아버지는 면사무소를 들르자고 하셨다

아버지를 기준으로 가족관계증명서를 떼려니
본인이지만, 본인임을 확인한다고
담당 직원은 아버지에게 엄지손가락을 지문인식기에 대란다

다시 한번 대도 마찬가지
"인식할 수 없는 지문입니다"
기기에서 쩌렁쩌렁 퍼붓는 오류 안내가 구내 스피커를 찢어
면사무소 벽에 걸려 있는 시계의 침들이 덜컥,

진공상태가 깨진 나의 우주가 그만 시간을 잃는다

아버지는 무덤덤하게 웃으셨지만,
지문이 닳아 찾을 수 없는 실종된 내 아버지는
이 세상에 존재하지 않는 이가 됐다

그랬다
이제까지 나는 아버지의 손을 만져 본 적이 없었다
아니, 제대로 살펴본 적도 없었다는 것을 알았다

낫과 삽에 호미를 손에서 놓지 않아 짓무른 자리
새살이 돋았다가 다시 핏물 흐르고 배겨 굳은살
뼈만 남은 아버지의 손가락은 핏기 없는 닭발.

'쌀값 전년 대비 23.6% 하락'이란 제목이 대문짝만하게 찍힌
농민신문 초라하게 앉아 있는 테이블을 돌아

아버지임을 어떻게 증명하고 떼었는지도 모르는
그 증명서가 들고 있는 내 손을
휘적거리며 허겁지겁 면사무소를 나온다

삽자루에 묻어 떨어진, 호미 자루가 갉아놓은
흩어진 아버지의 지문 찾으러
젖과 꿀이 흐르는 아버지의 천국
그 말끔한 논밭에 가 봐야겠다.

살갗도 썩으면 거름이 될까?

유상 조직*_아버지와 감나무

올해엔
슬쩍 감춘 새색시 얼굴 같은
감꽃이 많이도 피었다

손주들 홍시 따주는 재미가 쏠쏠하신 아버지는
꽃이 피자마자 약부터 치신다

작년엔 깍지벌레가 온 나무를 휩쓸어
병든 감들을 모두 까치와 콩새 그리고 마당한테 빼앗겨
재미를 못 봤으니 일찌감치 약을 치시려는 거다

약을 다 주신 아버지는
잘 부탁한다는 뜻인지, 나도 네 맘을 안다는 뜻인지
몇 해 전 냉해로 껍데기가 반이나 벗겨진 자리에
새로 나온 감나무의 불룩해진 속살을 어루만지고선

당신의 오른쪽 무릎도 여러 번 주무르셨다
수술 자국이 도드라진 무릎을.

손주들에게 실컷 따줄 홍시 생각에
말간 웃음이 절로 나는 아버지는

뭔 좋은 일이 있느냐는 어머니의 물음에
대꾸도 없이 삽 한 자루 지팡이 삼아
절뚝거리며 논으로 가신다

아, 봄에 그리는 가을 홍시여!

*癒傷 組織 : 식물체에 상처가 났을 때 상처의 세포가 분열 능력을 회복하
여 상처를 막고 불룩해지는 연한 조직

쌀의 힘

아버지의 흰 쌀은 힘이 넘친다

어머니가 쌀을 일어
가마솥에 밥을 안치고
아궁이에 불을 지펴
밥물을 끓인다

흰 밥의 보람찬 눈물이 흘러넘치고
무쇠 솥뚜껑도 함께 어깨를 들썩들썩할 때
부엌으로부터 뽀얀 아침은 희망처럼 온다

부푼 밥은 꿈 같아 자식들의 어깨를 들어 올리고
양분은 뿌리로 내려가는지,
어머니는 오늘 입힌 아이들의 바짓단을 늘인다

누우면 발이 문지방을 넘어 방은 점점 작아지고
남은 밥이 없어
누렁이는 말라만 가는,

다 같이 겪은 무성한 여름

밥풀

개수대 거름망에 처박혀 울고 있는
눈이 퉁퉁 부은 밥풀들

가난한 시절에는 모두가 한 톨이라도 아껴 먹느냐고
버림받아 우는 밥알은 없었다
물린 상에서 밥풀이 붙어 있는 밥공기의 주인은
아버지에게 된통 꾸지람을 들었었기에

밥풀은 저를 먹고 자라는 자식들을 위해
기꺼이 즐거운 마음으로
갸름하니 하얀 몸을 바쳐 왔는데,

배에 기름이 가득 찬
밥 없이도 살 수 있게 된
밥심으로 살지 않는 우리는

이제 밥에 고마워하지 않는다

아직 현역 농부인 늙으신 아버지만이
오늘도 밥공기에 붙은 한 톨의 밥알까지 떼서
소중하게 떼서 꿀꺽, 삼키신다

내가 고개를 슬쩍 돌린 것은
목이 메었기 때문이다

동지애(同志愛)

식전에 아버지가 오른쪽 다리를 절며
괭이자루를 지팡이 삼아
일상이 돼 버린 밭둑을 살피시다가

어젯밤 장대비가 흙을 쓸어가
굽은 발가락이 훤히 나온 매화나무 발등에
괭이로 솜이불 같은 속흙을 긁어 덮어주시고는
나무의 굽은 등을 어루만지신다

이십여 년 온 생애 동안 아버지를 보아 온
매실나무가 키 낮은 아버지를 내려다보다가
가슴속까지 뜨거워졌는지,

어깨를 들썩이기 시작한다
잎사귀들도 덩달아 훌쩍거리며
누렁이 황소 눈방울만 한 매실 몇 알을 떨어뜨려 바치는

바람 부는 늦봄의 새벽녘

지구 자전하는 소리를 들은 적이 있는가?

너무나 큰 소리는
우리의 귀에 들리지 않는지

아무도 일어나지 않은 신새벽
뒤곁에서 홀로 우는 아버지의
울음소리를 들은 적이 없듯이

그대, 지구 자전(自轉)하는 소리를 들은 적이 있는가?

나는 돌아가는 지구의 소리를 들었다는 사람을
아직껏 본 적이 없다네

다만, 쇠죽을 쑤다가
아궁이로 연기가 내어
눈을 비볐다는

아버지의 말씀만 들었을 뿐

빈 의자가 는다는 것

시골 우리 집 마당 한구석
탁자 둘레엔 의자가 여섯 개
주인은 따로 없어 앉으면 그만이다

집주인이 있건 없건
시간 약속도 없이 와서
친구 서넛 모여 멸치볶음 안주에
소주 한 잔, 입가심은 커피믹스

사랑방이 마당으로 나앉았다

오늘은 신 씨 아저씨가 먼저
아들 자랑을 늘어놓는다
질세라 이어지는 촌로들의 자식 자랑.

지난번에 구 씨 아저씬가 돌아가셔
빈 의자는 하나였는데
벌써부터 의자가 남아돌 것이 걱정이다

아저씨들 다 돌아간 저녁 어스름
앉은 자리를 정리하다가 서서
언제까지나 자식 대신 오가며
아버지의 안부를 확인해 주었으면 하고 바라본다

텅 비인 의자가 슬퍼서
이슬은 슬쩍 내려앉고
서쪽 하늘에서 밤이 와 의자를 감싸 안는다

무엇의 씨앗

집채만 한 가랑잎 땔나무 한 짐을 지고
집으로 가는 아부지를 따라가다가
뒤에서 무엇인가를 물은 적이 있었다

아부지는 무거운 지게를
지고 있었기에 앞을 보고 걸으며
무어라 답을 하셨다

물은 것과 답한 것은 벼랑길 밑으로 사라졌고
그저 앞만 보고 살아오신 아버지의 일생

나는 살아오면서
자꾸 뒤를 돌아보는 버릇을 가진 것이
아버지 탓이라는 생각을 한다

그 때 상고에 가지 않았으면
그 때 은행에 들어가지 않았다면
그 때 결혼을 하지 않았더라면

나는 다른 삶을 살 수 있었을까?

모든 선택은 무엇의 씨앗이다.

아부지는 때마다 받아놓은 씨앗들을
한 줌씩 봉투에 담아 광에 재어 놓으셨다
비록 봉투마다 곡식 이름은 삐뚤빼뚤 써졌으나
곧게 뻗을 새순들을 생각하면 가슴은 뿌듯하다
봄에 심을 곡식을 곰곰궁리하시느라 마음이 바쁘신 나의 아부지

참 농부의 마음인가, 늘 필요한 양보다 더 많이 두셨으니
심고 남은 씨앗들은 모두 두엄자리에 내버려진다는 것을 아는지
봉투 바깥면에 붙어 있던 씨앗 하나
눈동자가 막막한 허공을 더듬는다
아버지가 애처로운 눈빛을 알아채셔야 할 텐데

가슴에 묻혀 있던 詩의 씨앗이 싹트기를 기다리듯이
땅속에서 빗님 오시기만 기다리는 씨앗처럼
간절한 눈빛을

붉은 찔레꽃

'찌일레꽃 붉게 피이이는'이란
어릴 적 듣던 유행가 가사를 좇아서

좀처럼 보이지 않는 붉은 꽃잎을 가진
찔레나무를 찾아다녔으나, 찾지 못하고
내 머리카락에도 흰 꽃이 피어난 지금
찔레꽃 한 무더기 앞에 서 있네

찾았다, 붉은 찔레꽃!

그곳엔 찔레나무 가시에 찔려 흘린
붉은 선혈이 묻어 있는
찔레꽃 네댓 송이 있었네, 꽤나 붉은.

얼마 전 아버지가
이곳 가시덤불을 헤치면서
지나가신 모양이다

천정(天井)

가을입니다
젊은 당신이 떠나신 계절

지금은 어느 곳이나 당신으로 가득해
무얼 보든 무엇을 만지든 목이 메는데
마른 잎도 바가지에 빠져
온몸으로 생의 허기를 채웁니다

당신께서 올라가신
가을 하늘은 수심 깊은 우물입니다

하늘 우물에 두레박을 던져,

길어 내린 바가지에
머리를 처박고
당신 같은 푸른 물을 벌컥벌컥 들이킵니다

당신께서 간지럼 타는 아이를 번쩍 안아 들고
목에 찌든 때를 벗기시던 그 시절로 가고 싶어

그리움이 한 뼘 더 자라나는
아픈 가을입니다

석화(石化)

멋진 풍광을 보며
그리운 이와 같이 왔다면
얼마나 좋을까 하고 생각하곤 한다

그리움은 눈물 자국이다

당신을 잃고서 몇 날을
당신을 보내고는 또 며칠을
씻지도 않은 채 울기만 하여
눈가에 눌어붙은 눈물 누룽지

정신을 차리고 얼굴을 닦으려
거울 앞에서 비누 거품을 내는데
거품 방울 방울이 당신의 얼굴

또 울컥울컥 쏟는 뜨거운 눈물이
붙어 있던 눈물 딱지를 녹이고
가슴속으로 스며들어 점점 石化한다

그리움이란 그렇게
자국과 자국을 누르고 눌러 쌓은
퇴적암이다

채석강 절벽 켜켜이 쌓인
펼쳐지지 않는 돌로 된 책들을 읽다가
불쑥 튀어나온 당신으로 인해
돌덩이로 굳어 가는 가슴께가 먹먹합니다

그런 꽃

진보라 나팔꽃을 밝은 햇빛 아래 보는 것도 좋지만
은은한 달빛 내려앉은 너를 보는 것은 또 얼마나 좋은지

다른 꽃들 다 잠든 밤
홀로 피어 있는
연한 분홍색마저 달빛에 바랜,

너를 만났다

지갑에 간직한 내 나이보다 더 오래된
돌아가신 엄마의 흑백사진 꺼내어 보듯, 너를 본다
이슥도록 바라본다

그런 꽃이다

너, 메꽃은
보고 있으면 탈색된 그리움 한 자락 밀려드는

내가 찾는 그 아이

저녁상을 물린 한여름 밤
모깃불로 타는 쑥 향이
멍석을 깐 마당 한가득 짙푸르다

엄마 팔베개하고 나란히 누운 아이는
지붕 위로 내려앉은 별을 띄엄띄엄 꼽다가
셀 수 있는 만큼이 모두 다
네 것이라는 엄마의 귓속말에

오늘 밤 남북으로 가로지른 은하수를 다 헤려는 듯
아이의 두 눈이 별처럼 빛난다

세다가 다시 세다가 곤히 잠든 아이는
별 무리와 함께 노는지 얼굴에 환한 빛이 일고
머리칼을 넘겨주던 엄마는 그저 미소만 머금었다.

초가지붕 위에 앉아 있던 하얀 박 같은 꿈
사라진 뒤 보이지 않는 가슴에 새긴 별들
다시 꺼내 보려고

오늘 밤, 그 아이를 찾습니다

소루쟁이국 그리운 날에는

풀들이 지천으로 솟을 즈음
망초 뜯어 된장에 무치고
소루쟁이 잎으로 국 끓여
한 상 가득 봄을 차렸었지

간 맞느냐 묻던 이 어디로 가고
오늘은 오늘의 음식만 상에 올랐네

꽃향기 가득한 봄의 한가운데
아내가 차려준 밥상 앞에서
그리움을 맡는다, 추억을 먹는다

봄만 되면 어릴 적 먹던
엄마의 봄나물 얘기를 하도 많이 해댔나 보다
측은했는지, 말로만 전해 들었던 아내가
봄나물 몇 가지를 무쳐 내었다

비록 그때의 그 맛은 아니었지만
엄마의 음식을 받아먹고는
설핏 어린 눈물, 아내 몰래 먹었다

소루쟁이 뜯어서 끓여 달라고 해봐야겠다
엄마가 그리워지는 오늘 같은 날에는

낯선 이름 수크령

남대문으로 내려가는 남산 성곽길에는 수크령이 모여 산다
하늘이 젊어 보이는 계절에는 꽃이삭이 메리* 꼬랑지만 해진다

어머니!
수크령이라는 풀 기억나세요
꽃이삭이 강아지풀처럼 생겼지만 훨씬 크고 긴 풀이에요
혹시 길갱이나 머리새라고 알고 계신가요
아니면, 정감 어린 늑대꼬랭이풀

꽃이삭이 없는 암 그령은 농로 한가운데 살고
수크령은 주로 길가에 사는 거래요

'엄마'하고 불렀던 먼 기억으로
'어머니'라는 천국의 사람을 불러내는 것만큼이나
저는 수크령이라는 이름이 낯설어요

기억나세요
언젠가 제가 아마 열아홉 살 정도 되었을 때

어머니랑 읍내에 갔다가 집으로 질러가던 논둑길에서
제가 냅다 뜀박질해 저만치 앞에 가서는
지나가던 사람 발이 걸려서 넘어지라고
재미 삼아 풀줄기끼리 묶어 올무를 만들었던 거

지게 지고 다니는 길에다가 그런 장난치면 못쓴다고
어머니께 혼나고서는 다시 매듭을 풀었었죠
그 질긴 풀이 수크령의 각시 풀이에요

어머니, 그 후로는 그런 장난을 한 번도 쳐보지 못했어요

산책길에서 모가지가 잘린 수크령을 들고 내려오며
자꾸 되뇌어 보는 수크령,

그리고 어머니

* 메리 : 어릴 때 고향 집에서 키우던 개 이름

재활용 측면에서

어머니가 지난번에 쓰고
씻어 놓았던 일회용 종이컵에

우리 동네의 비공식 치매 예방센터이자
사랑방인 우리 집 비닐하우스에서
짝맞추기 숫자놀이를 하시는 아버지 친구분들
드릴 커피믹스를 타신다

물에 젖었다가 말라 테두리가 약간 울퉁불퉁해진
다시 쓴다는 걸 알아차릴 만한 일회용 컵에,

자식들 욕 먹이는 일이라며
다 떨어지면 삼천 개 들이 박스로 사 올 테니
제발 그렇게 하시지 말라고
엄마에게 고함을 지르고 만다

옆에서는 누군가
'자원 재활용 측면에서 바람직하지 않을까'하는 의견을 내고

거창하게 지구의 앞날까지 걱정하면서도 매일 일회용품에 파묻
혀 사는
모순덩어리인 내가 오늘도 여러 그루의 마음 여린 나무를 베었다

말리는 자식들이 눈앞에 없으면
어머니는 종이컵을 물에 헹궈
또다시 쓰실 것이다

찬장에 새 행주가 쌓여 있어도
욕실 수납장에 수건이 그득하여도
헤진 것들을 빨고 기워 쓰시는 일은
앞으로도 바뀌지 않을

생의 원칙을 지키는 일.

자원 재활용 측면에서
뼈만 앙상하게 남아 퉁그러진 나의 몸을
얼룩덜룩 더러워진 나의 마음을
고치고 빨아서 다시 쓰시면 안 되실까 하고

신께 여쭙는다

3부

꽃이 피었다가 지는 동안

때

아침은,

못 속으로 날카로운
싱싱한 첫 햇살 내리꽂히고
꺾인 살을 피하려 잽싸게
잉어가 물 위로 솟구쳐 올라

가쁜 숨을 들이켜는 순간, 바로 그때.

점심은,

목마른 해가 내 정수리 위에 올라앉아
젖은 그림자를 남김없이 먹어 치운 그때.

저녁은,

땅거미가 제집으로 들어가
사방 천지가 어둑밭이 되어
울 엄마, 동네 골목까지 나와 밥 먹으라고 소리치던 그 때.

너무 이른

봄꽃, 너는

얼마나 사랑했기에
연둣빛 잎보다 먼저 오느냐

얼마나 그리워하면
마음보다 앞서가는 몸이냐

나도 목젖이 보이는
저 개나리꽃처럼

그렇게 환한 얼굴로
당신께 달려간 적 있었다오
지금은 볼 수 없는 당신께

이른 봄꽃으로,

너무 이른 봄꽃으로

새봄이 온다

굳은 땅 터트리며
왕관인 양 머리에 떡잎 쓰고 오는
위대하여라 새싹은

그래, 시련과 기다림을 감내한 새봄
네가 임금이다

양 길가엔
성군(聖君)을 환영하는
환호성 같은 아지랑이

해사한 웃음으로
소리 없이 벙글어
한길로 성큼성큼 걸어서 오는 봄

좋은 시절 온다고, 추운 겨울 곧 간다고
오래전 하신 아버지의 말씀을 이루려

봄이 온다
봄비 앞장세워 위대한 새봄이 온다

내가 봄이었으면

남촌에서 한바탕 놀고 온
새봄이 우리 동네에도 찾아왔어요

봄의 친구 따뜻한 바람도 데리고 왔구요
그 바람에 매화는 피었지요

매화 향기가 퍼졌는지
꿀벌이 기지개를 켜고요
수줍음을 많이 타는지
참꽃*은 점점 더 붉어져요

그런데,
한겨울의 생응달** 얼음처럼
심통이 난 그대는
그 마음 언제 녹을 거예요

따사로운 봄이
당신의 마음 앞마당에서
한바탕 놀아 주었으면 좋겠네

* 참꽃 : 먹는 꽃이라는 뜻으로 '진달래'를 말함
** 생웅달 : 낮에도 빛이 거의 안 드는 웅달 중의 웅달, '상웅달'에서 온 것으로 추정 (내 고향 이천 지역의 방언)

바람이 전한 말

아직 차가운 바람이 부는데
꽃나무는 어찌 알았을까
뿌리가 물을 더 많이 길어 올려야 한다는 사실을

쉼 없이 물을 퍼 올려
꽃봉오리를 봉긋이 키우는 나무
바람이 전해주었을까 "이젠 피워야 해, 너만의 꽃을!"
꽃들이 우르르 피어난다.

오늘 개나리와 진달래가 무성한 화단에서
물관이 뜨거운 꽃나무 다리를 만져 보고는
자꾸 봄 쪽으로 기울던 마음이
급하게 뛰어가고 있다

"너도 꽃 피울 때가 되었어!"
순한 봄바람의 말을 들으니

마음만 더욱 초조해진다

너는 지금 피어나는 꽃

아직 활짝 다 피지 않은 꽃들이
바람에 흔들리는 걸 보고 있자면

표정 없는 나에게
손나팔을 하고는
무어라 소곤소곤 속삭이는 것 같아
다가가 살며시 귀를 대어 보았다

다 알아들을 수는 없었지만,
"너도 지금 피어나는 꽃이야"라고 한
꽃의 말만은 귓바퀴에 배어
바람이 귀에 스칠 때마다 내게 속삭여 준다

내일이 오늘이 되면 그 꽃 환하게 피어 있겠다

(꽃이 속삭인 말 중에)

"나는 피어야 꽃이고
너는 웃어야 사람이지.

웃음꽃 피워, 함박웃음!"

새살

새봄이 왔다고 자스민 나무엔 마알간 잎사귀

사는 건 왜 여전히 서투른 건지
죽은 가지를 자르려다 커터칼에 베인 상처

새살이 나려는지,
쓰리다가 가렵다

나이가 들어서일까 상처가 아무는 데에
시간이란 놈이 꽤나 잡아먹혀 속살로 도톰해졌다

새살이 돋는다는 것과 새잎을 피운다는 것
아무는 일이나 제 살을 찢고 나오는 일
모두 다 온몸으로 견디어 내야 하는 것

서투른 삶도 종착지에 다다를수록 점점 온전해질 수 있을까

밖은 온통 연두가 내는 신음 소리로
봄이 한창이다

천국으로 가는 길

매일 아침 출근하는
집 앞의 일방통행 길
양쪽 가로수는 죄다 벚나무

우듬지가 깍지를 낀 화사한 벚꽃 터널은
은하수 인도하는 천국으로 가는 언덕길
차창(車窓)을 활짝 열고 지나가는데,
차 뒤바람에 나뭇가지 휘청휘청 꽃눈깨비를 뿌려주네

난분분히 난분분히 내리던 꽃잎이
바람을 타고 소복이 들어앉고
따라 들어온 꽃향내로 차 안이 가득하니
나는 콧노래로나마 셈을 치르며 간다

간지럼 타는 아이처럼 까르르까르르 웃던 꽃이
바짓가랑이를 잡았을까
출근하기가 싫어져 느릿느릿 갈지자로 가는 차.

오늘 비가 올 것이라는 기상청의 예보가 있었고,
뒤죽박죽 폐지가 엉켜 있는 리어카를 끌고
천국을 향해 언덕길을 오르던 노인이 내뱉은 말
"꽃은 드럽게 이쁘네"

땀에 절어 축축해진 그 말이 꽃잎에 묻어 차 안으로 기어들 때,
느닷없이 세찬 비바람은 몰아치기 시작했다

지는 꽃은 눈을 감고 보라

지는 꽃은
눈을 감고,

영혼으로 보는 거라며

떨어지던 꽃,
말간 내 눈을 때린다
서러워서 더 아름다운 꽃

눈을 감고 보면 더 선명한 당신처럼

목련이 세상을 치유했으면 좋겠네

어느 집 목련이 그리 화사한 거냐
담장을 넘은 환한 웃음을 내가 취하니
그제서야 목련꽃은 한 꺼풀씩 生에게서 떨어져 나간다

그 짧은 순백의 시간이여
아름다운 것은 왜 그리 쉬 떠나가는가
당신이 그랬듯이 꽃도 그러하다

이 세상 더럽고 악한 것들을 담아 가느라고
새하얀 꽃잎 검게 물들었는가
그대가 어두워지니 참 많은 것들은 화안(和顏)해졌다

햇볕은 따뜻하고
오늘의 바람은 차다

당신을 꺼내 보기 참 좋은 봄날

이마가 하얀 아이

봄비가 갠 오후

서너 살 되어 보이는 이마가 하얀 아이가
엄마의 손을 잡고 저만치 앞서 걷고 있다

그들 앞에 빗물 고인 야트막한 물웅덩이

물을 본 아이는 봄의 햇살 마냥 밝게
갑자기 얼굴이 화안해지더니
비껴가려 끄는 엄마의 손을 뿌리치고는
쪼르르 웅덩이로 뛰어든다

두 발로 잠방잠방 빙글빙글
트리케라톱스가 불을 뿜고 있는 샌들이 경쾌해
꼬까옷을 다 적시고도 폴짝폴짝
끌어내려고 다가간 엄마 바지까지 함빡

아, 이렇게 해맑은 이 아이를 어쩌나

이젠
엄마도 함께
손잡고 참방참방

나도 거기에 끼여 첨벙첨벙 양복바지 적시며 같이 놀았으면 하고
잠시 맑은 영혼을 되찾아 입가에 미소 번지는

하늘 마알간 비 갠 오후의 남산(南山) 자락.

– 산책하고 돌아오는 길
바쁜 트럭 바퀴가 물웅덩이를 철썩 때려
흙탕물은 너의 바지에 화풀이를 해대고
입에선 갑툭튀 "아이씨X"

그새 봄 햇살 같은 아이는 어디로 갔는가

웃으며 죽은 모기

공중화장실에서 오줌을 누다가
지난여름에 일어났을 일을 본다

누가 손바닥으로 후려쳤나
빵빵했을 배가 터져
시뻘건 피가 낭자한 모기 한 마리
흰 벽에 화석처럼 납작 눌려 붙어 있다

하지만 놓치지 말아야 할 건, 모기란 놈 입가의 미소

유리창 밖엔 천 송이 만 송이 피어난 벚꽃
쇠박새가 날아와 꽃 속의 꿀을 빨다가 꽃향기에 취했나
몇 송이 꽃과 함께 휘이청 낙하 중

그 새도 행복에 겨운 얼굴이다

그대도 나도 그랬으면 좋겠네
우리네 삶의 끝이 그랬으면 좋겠네

알락할미새

서울 언저리에서 사는 고향 친구들이
가평의 어느 한적한 계곡 물가에 둘러앉아
제 사는 얘기 들려주고 남 사는 얘기 들어주며
우리는 우리의 무성한 초여름을 또 한 번 같이 보낸다

고향을 떠난 뒤로는 다시 볼 수 없었던
알락할미새를 보고는
벗들은 제 안주머니에서
옛 추억을 하나씩 꺼내 놓는다
또 하나의 추억을 집어넣으며,

버거운 삶도
내 친구를 만나면
좀 가벼워지는지

할미새 꼬리 흔들 듯, 끝없이
추억을 꺼낼 때마다
깔깔깔 껄껄껄 (하하 호호)
손뼉을 치던 웃음이 둘러앉은 우리의 등을 넘어간다

할미새에게 전해 들었나
우리 얘기 엿들으려
여린 햇빛도 나뭇잎 위에 슬며시 내려앉았다

산들바람으로

꿈을 꾸는 듯했지
한 번도 보지 못한 노인이 내게 물었어
넌 무엇이 되고 싶으냐고

대답 거리를 생각하고 있는데
시원한 산들바람이 내 머리카락을 살짝 헝클어 놓고 가더군
그 순간 너무나 평온해서 꿈결에도 행복했다네

무엇이 되고 싶다는 생각이 없었는데
갑자기 물으니, 얼떨결에
"산들바람이 되고 싶다"고 대답하게 되었다네

꿈에서 깨어나 내가 말한 소망에 대해 생각해 보았다네
왜 그것이 되고 싶은지를

그것은
잠든 어린 아가의 땀을 식혀주던
한여름날 고추를 따는 촌부의 주름진 이마에 스치던

상념을 버리려 산에 오르는 김 부장의 등을 어루만지던
아장아장 걷는 아이가 손에 꼭 쥔 풍선을 살짝 흔들던

그런 바람일 수도 있겠지, 모두 미소를 머금은 바람

난 그저 작은 것에도 기쁨을 찾을 수 있는
그런 삶을 꿈꾸고 있었나 봐
의식하지 않았을 뿐

난 누군가 문을 열면 따라 들어가는 작은 기쁨이고 싶어,

산들바람으로

낮달이 앉은 찻잔

큰비 쏟아지고는
흙길에 물웅덩이 생겼다

잡념을 떨쳐버리려면
시간을 잡아두고 마음을 가만히 들여다보듯이
흙물을 가라앉히려 구름이 흘러

파란 하늘에 낮달이
갓 빚은 찻잔 속으로 들어앉는다

새 한 마리
차 한 모금 입에 물고는
고개 들었다, 꿀꺽
하늘의 달이 조금씩 패여 곧 그믐 오겠다

마음이 평화로우면
어느 곳이든 도원

환생(幻生)

열대야로 땀에 젖어
잠 못 들던 보름달이

제 할 일은 안 하고
연못 속으로 풍덩 뛰어든다.

흰뺨검둥오리 한 마리
물 위에서 노닐다가
제 알인 줄 알고 품었으니,

새벽닭이 울면
네 희망처럼 붉은 해가 태어날 것이다

참매미

늦은 밤 어김없이
전기철차 집에 가는
소리 요란하고

기어코 기차 소리를 뚫으려는
달콤한 수컷 참매미의 세레나데

매앰 매앰 매앰 매앰

매미 울음소리에 밤잠을 설친 사람들, 눈이 벌겋다

시끄러운 한낮의 소음으로 귀가 멀어
수컷을 보지 못하는 암컷과

가로등 부릅뜬 도시의 한밤중은 대낮이 되어
삶의 유효시간이 얼마 없다고, 빨리 짝을 구해야 한다고
수컷 매미 매앰 매앰 매앰 매

밤새도록 나는
너를 이길 방도나 찾느라
엎. 치. 락. 뒤. 치. 락.

아, 나는 사랑 때문에 온몸으로 울어본 적이 있었던가

부처 중의 부처

진흙탕에서 무량한 수행으로
새하얀 꽃을 피우는 이여

두 손 모아 합장하고
하늘을 우러르는 이여

일생을 선하게 살아
향기 또한 은은한 이여

꽃과 뿌리
잎이며 씨앗까지
가진 것 모두를 아낌없이 내어 주는 이

잠자리도 향기 나는 관(棺)이 좋았는지
웃으며 그대 손끝에서 열반(涅槃)에 들었다

합장한 손까지 남의 관으로 내어 주는
거룩한 그대는 부처 중의 부처인가

수직의 길

벌초를 하다가 달개비도 베었다

발목이 잘려 허연 피를 흘리면서도
꽃은 나를 보고 웃어 준다
절명의 순간에도 하늘색 미소로

다른 풀들과 함께 옆으로 누웠다
원망의 눈길도 없이
오동나무 밑거름이 되겠다 한다

어느새
파랑의 색들은 하늘로 올라가 버리고
달개비 덤불은 가을볕에 누렇다.

하늘은 달개비꽃들이 풀어놓은 파아란 웃음이고
달님은 개똥벌레들이 이마 맞대어 밝히는 것이라는
옛이야기를 아이들한테 일러 주어야겠다

하늘을 보고 자라나는 나무는
달개비꽃과 개똥벌레의 꿈을 좇아가는
수직의 길이라는 것도

백로(白露)에 봄을 생각하다

초가을 강은 고치를 지으려는 말간 누에

강물 빛이
흙물인 여름에서
투명한 가을로 접어든

집으로 가는 어슴푸레한 저녁 길

커다란 누에 한 마리
몸을 휘고 또 틀어
기다란 실을 매달고 흘러가는데,

서녘 하늘빛이 내려 누에의 몸이 벌겋다

당산철교 위를 달리는 전철
차창을 통해 내려다본
바다로 가는 한 마리의 누에

삶에 찌든 나도 네모난 집에 들어가
몸 말아 잠에 들어야겠다

환생(幻生)을 위한 잠을 자겠다

뭉게구름

가을운동회에는 달착지근한 냄새가 난다

자전거 짐받이 위 원통에서는
솜사탕이 점점 자라고 있어
우리는 입에 고인 침을 어쩌지도 못한 채

남자 놈들은 푸른색 솜사탕을
여자애들은 분홍색 솜사탕을
기다리고 있는 중이다

나뭇가지를 빙빙 돌리면
마술처럼 달라붙는 솜사탕을
굳이 편까지 갈라서 기다리고 있다

아, 더디 가는 시간이여!

다 쓴 비료 푸대를 아버지 몰래 가져와
바꿔 먹는 솜사탕 맛을 그 누가 알겠는가

그나마도 쉬 녹아 없어지는 게 아쉬워
빨아먹는 그 맛이라니

아버지께 부지깽이로 맞는 건 각오한 일이지만
내 여태껏 이런 일 없었으니
용서해 주시려나 희망 한 가닥 품었던

우리의 어린 가을은
그렇게 채우며 자라났다

그리움으로 남는 것도 모른 채

하늘에 흐르는 하얀 뭉게구름 보면
그때의 솜사탕 맛 못 잊어
빈 입술을 핥는다, 입맛 다신다

묻고 싶은 말

귀뜰 귀뜰 귀(歸)또르르

귀뚜라미가 마루 밑에서
며칠 울어 대다가
더 추워진 어느 늦가을 날, 울음이 멈췄다

겨울이 곧 온다고 예언을 하던 귀뚜라미는

다시 오겠다고
뜰에 다시 돌아오겠다고
목에서 피가 나도록 다짐을 했나 보다.

자투리 방부목을 이어서 만든 테라스
귀퉁이가 썩어 수리를 하려고 뜯어낸 자리에

다시 돌아오겠다는 의지인가
끝까지 제 영혼을 지킨 수문장인가
두 눈을 부릅뜬 채로 정좌(正坐)를 한 귀뚜라미

몸에서 모든 물기가 빠져나가
박제된 듯 앉아 있는 빳빳한 귀뚜라미를
마루 밑 모습 고대로 집어 들어,

소란스럽지 않게 풀숲에 앉힌다
만물이 소생한다는 봄날

그가 돌아오면 물어보고 싶은 말을 삼킨다

순종(順從)

여름날 산책하는 이의 그늘을 위해
쉼 없이 물을 길어 올리던
청청(靑靑) 푸르른 잎 무성하던
남산 둘레길 옆 나이 많은 단풍나무

오늘내일 설악산 단풍이
절정을 이룰 것이라는 소식을
지나던 노인의 라디오에서 듣고는
마음이 바빠졌다

자식 같은 나뭇잎을 잃는다는 것은
얼마나 큰 상실감일까
몸살 한 번 앓는 것이라고 말하기에는.

아, 그대는 이미 마음을 놓았구나
順從하기로 먹은 굳은 마음

식음을 전폐하고
뜨거운 신열로 몇 날 며칠을
파르르 떨다 토해 놓은 선혈

짧은 생을 살다 간 내 친구 같은
적적(的的)*한 적단풍(赤丹楓) 한 장을 떨군다

* 的的 : 밝고 고운

게으름 또는 욕심

어느 집 화단에
모가지를 간지럽히면 혀를 낼름낼름 내밀 것 같은
꽃잎 다 잃어가는 배롱나무 서 있고
그 아래 무지개인 듯 만발한
꽃백일홍이 울긋불긋하니 참 황홀하다

꽃밭 주인이 게을렀을까
아니면 꽃을 더 늦게까지 보려는 욕심 때문이었을까
꽃씨를 늦게 뿌렸는지, 비아그라를 멕였는지
철 지난 백일홍꽃은 지금 막 오르가슴

지는 백 일이나 가는 꽃이라고
목백일홍도 꽃백일홍도
자랑을 해댔는데

아,
간밤에 급작스레 내린 된서리로 모두 짓무른
화려했던 과거형의 무지개

꽃은 서글프다

명상하듯 산

하늘이 얼마나 높았는지
흰 구름 두어 점 올라가다 지쳐
산 중턱에 앉아 쉬고 있는 가을 어느 날

아무 소리도 없어 무료하기까지 한
산은 명상에 들었다

열심히 도토리를 모으다 지쳤는지
다람쥐 한 마리 그늘에서 졸고 있던 그때

카랑카랑하게 마른 가랑잎 쌓인 위로
키 높은 굴참나무 꼭대기에서
도토리깍정이가 놓친, 굴암* 한 알 떨어진다

땡그랑
데굴데굴

낙엽을 때리는 소리가
천둥처럼 온 산을 흔들어

화들짝 놀라 뛰어올랐다가 떨어지며
매끈한 가랑잎을 밟아 미끄러지니
눈방울을 더욱 크게 하고 줄행랑을 치는 다람쥐란 놈,

그러고는 아무 일도 없었다는 듯
억새풀들 계속해서 졸고 있는

한쪽 눈 살짝 떴다가 감는
오후의 산

* 굴암 : 굴참나무의 열매, 도토리의 방언(경기 지역)

바람은 왜 우는가?

꽃이 피어서 운다
꽃 지니 또 울고

동백꽃 보고,
지나던 바람 구슬피 운다

나뭇가지 사이사이 붉게 운다

그림 한 점을 얻다

습설(濕雪)이 발목까지 올라온 날
동쪽 하늘이 다 트지 않은 새벽녘 산책길

눈빛에 진초록 동백잎 더욱 반짝이고
뽀드득뽀드득, 내 발자국 소리 말고는
바람까지도 일지 않는 적막한 동백숲

동백새 한 마리 나뭇가지 차고 '포드닥'
그 바람에 동백에 이끌려 걷던, 길 멈추고 눈을 돌리는데

동백 한 송이 '투욱' 떨어져
쌓인 눈 속으로 '포옥' 안기는 그 순간,
우주에 '일시정지' 버튼이 눌린다

나만이 듣는 그 마지막 숨결
'영원'의 잘린 단면이여!

핏자국처럼 붉은 적동백(赤冬柏)
흰 눈의 캔버스 안에 갇혀

다시 피는 그림 한 점

겨울은

떠난 지 40년이 지난 한겨울이 되어서야
고향 집 마당에 서서
건넛마을 뒷산 능선을 바라본다

욕심을 버린 나무들이 비인 몸으로
한 줄로 서서 앞으로나란히를 한 채
따뜻한 남쪽을 향해 걸어가고 있다

매서운 추위가 오기 오래전
다정한 나무들이 봄 지나 가을까지 품에서 보살피던
나뭇잎과 새들을 함께 떠나보냈다

개체를 더 선명하게 드러내 주는 겨울은
참 좋은 계절이다, 진실하므로

꾸미지 않은 본연의 모습으로
너에게 다가가기 좋은
추운 너를 안아 주기 좋은 계절이다

4부
기대어 살기

파도가 고요한 날은

너와 함께 갔던
그 바다에는
외로운 바위 하나 서 있다

파도가 살며시 다가와
부서진 몸으로도 검은 몸을 어루만지는

그것이
파도의 사랑법

파도가 잔잔한 날은
사람을 위로하려는 날
고요는 평화가 되어
외로운 사람을 외롭지 않게 한다

바위처럼 홀로 선 사람은 바다로 가자

외롭거든

그대 그리웁거든,

그냥 바라만 보아도 위로가 되는 바다로 가자

아버지 어깨가 그리운 사람은 동해 바다로
엄마의 손길이 그리운 이는 서쪽 바다로

파도의 다정한 입맞춤에 발을 내주고
'첨벙' 하고 들어가
우리들의 슬픈 어깨를 내어 주자

이순(耳順)

"힘을 빼시고 다시 한번 쳐 보세요,

아, 그렇게 말고요 힘이 너무 들어갔잖아요
힘을 빼시라니깐!"

골프 코치는 빠지지 않는 힘을 자꾸 빼란다

"도끼 패듯 곧장 올리지 마시고
둥그렇게 원을 그리듯이 스윙하시라구요!"

프로 골퍼들의 스윙을 보면
힘 하나 안 들이고 부드럽게 치는데도
공은 멀리 날아간다

결국, 힘을 빼지 못해 골프를 때려치운다.

힘을 주어 욕망 쪽으로 치달리는 것은
부드럽게 둥글둥글 사는 것보다
늘 끝이 좋지 않음을 耳順이 되어서야 알겠다

마음에서도 힘을 빼야 할 텐데
물이 철을 녹인 것처럼, 돌을 뚫은 것처럼

곡선은
직선을 버텨 낸다, 이겨 낸다
그러니 이제 원심력에 휘둘리지 말라
싸움을 그치고 줄을 놓으라

오늘도 잘 닦인 행길을 놔두고
팽팽했던 줄을 던져 놓은 듯한
굽은 길로 비이잉 돌아서 가는 그대를
귀가 순해진 내가 응원하는 이유

기록적인 폭우

인간에 대한 신의 노여움인가

폭우 쏟아붓는다
하늘의 문을 모두 열었나 보다

맨홀뚜껑은 화가 나서 폭탄처럼 솟구치고
시뻘건 흙물이 안전벨트로 묶인 자동차들
부끄러움도 채 가리지 못하고 아랫도리를 허옇게 내놓은
나무들이 덩실덩실 춤을 추며 둥둥둥 떠내려간다

"신대방동 하루 강수량 삼백팔십일 밀리미터,
정말 기록적인 폭우입니다"
긴급뉴스를 전하는 아나운서들의 입이 바빠서
인간은 하찮고 무기력한 존재라고 일깨워 주고

'이러다가 노아의 시대처럼 물이
온 세상을 다 삼켜 버리면 어떡하지'
자꾸자꾸 그동안에 지은 죄를 생각하게 하는

지금은 더 이상 아무런 쓸모도 없는, 사납고 사나운 비가
성당 앞마당에 서서 합장한 성모마리아의 이마를 내리친다

지구를 함부로 사용한 인간의 죄를 사하여 달라고
중보(仲保) 기도를 하는 마리아의 죄 없는 이마를

사랑의 노동_수컷의 삶

수컷의 삶은 왜 그리도 힘든가

일본 아마미 오시마섬 연안에 사는 수컷 복어는
12센티 몸으로 6주 동안에 지름이 1.8미터에 이르는
기하학적인 아름다운 무늬를 모래로 정교하게 만들어
신혼집을 꾸민다고 한다, 상상이 잘 안되는 일

우선 가슴지느러미로 모래를 파헤쳐 골을 파고
꼬리 밑 지느러미로는 정교하게 다듬는다
연하디연한 지느러미로 말이다
마지막으로 조개껍데기를 입에 넣고
부숴 군데군데 장식까지 한다.

서해안 갯벌에 사는 수컷 흰집게발농게는
썰물이 빠져나간 사이에 열심히 굴을 파 신혼 방을 꾸민다
굴 밖엔 파낸 개흙이 쌓이고

밀물이 닥쳐 집을 부수면
다시 집짓기가 시작되고,
또 반복되다가 마침내 완성
하지만, 밀물 전 구애의 시간은 짧다

신부를 유혹하기 위해
집게발로 춤을 추고
다른 수컷과 싸워 경쟁자를 물리친다

암컷은 열 군데도 더
굴에 들어갔다가 나오기를 반복하다가
집과 수컷이 맘에 들면 마침내, 합방을 한다.

아, 이렇게나 고달픈 수컷의 삶이라니

마이너스 통장으로 신혼살림을 시작한 나는
이 우주에서 가장 열등한 수컷일 게다

고맙구려, 당신!

지상 명령(至上 命令)

사과꽃이 떨어져 나뒹군다

잉태하지 못한 꽃은
온전한 꽃이 아니다

배란기를 지나 떨어진
사과꽃은 공갈 젖꼭지

배꼽은 생성되지 못했다

사과 젖샘이 다 마르도록
도대체 어디로 갔는가
그들의 집으로 돌아오지 않은, 벌들이 사라졌다

벌이 없는 세상은 죽은 세상이다.

벌과 하늘에 두 손 모아 사죄하라
벌을 찾아 나서라
벌이 다시 찾아올 세상을 만들라

이것은 이제 우리의 지상 명령이 되었다

풀씨의 쓸모

참새가
비둘기가
청계천 변 풀을 자르고 난 풀섶에서
무엇인가를 열심히 주워먹고 있다

걷어내지 않은 풀들을 두 발로 헤쳐가며
사람들이 그렇게나 많이 지나가는 데도
내가 가까이 가서 쳐다보아도

어떤 놈은 재재 쨱쨱 소리로
친구들을 불러 함께 풀씨를 먹고 있는

새들의 세상이
인간의 것보다 훨씬 더 평화로워 보여
풀씨의 아름다운 쓸모를 생각하는 오후.

미적대던 앞차에 신호등 걸린 화물차가
울그락붉그락 경적을 '빠앙'
새들은 푸드득

하늘이 잠시 출렁이고
흐르던 냇물이 멈칫하다 마는 참 오랜 평온

차 한 잔을 권하노니

갈대 차를 우려 낸다

열어 놓은 창문으로
물기 없는 시원한 바람이 쳐들어와
가득 내려앉는 방안엔

상승하던 차향이 바람을 타고
활공을 한다, 은은하다

세찬 바람이 불어와도
흔들리고 흔들리며 다 받아주던
드넓은 품을 가진 순천만 갈대숲
그 갈대가 가슴을 풀어낸

한 잔의 차를 그대에게 권한다

그대와 나를 위로하려
숲의 바람은 부는가,

가슴속까지 차향이 스미어
따뜻해진 마음이 시름을 조금은 밀어낸다

은하수

써레질해 놓은 무논마다
그득그득 내려앉아

살랑살랑 봄바람에 춤추다가
한밤이 되어서야 고요히 잠들어

오늘 밤 논물은 더없이 따뜻하겠네

물든다는 것

훈장처럼 황토색 물결 무늬를 가슴에 새긴
이리저리 찢겨 너덜너덜한 검은 비닐 조각들이
밭둑 키가 큰 뽕나무에 걸려 승전기(勝戰旗)처럼 나부낀다
밭이랑을 덮어 자랑찬 생을 키워 낸 비닐이다

지금은 어느 시골 동네에서 그렇게나 자랑삼던
자식도 못 알아보는 치매를 앓는 노인네의 명찰

　　　(길에서 이 분을 만나시면
　　　010-＊＊＊＊-＊＊＊＊ 번으로
　　　연락 부탁드립니다.
　　　후사하겠습니다)

같은 깃발이다

계곡마다의 사연들이
비닐 조각에 물든 제각각의 무늬는
우리의 아버지들이 살아 온 삶의 궤적

힘들었지만, 그 누구에게도 말하지 못한
나의 오늘은 또 어떤 무늬로 물들여질까

시간을 낭비한다는 말은 맞는 것일까?

별을 더 빛내기 위해 어둠은 짙어진다

정북 방향 하늘에선 지구가 기울어 국자가 엎어지고
하루 동안 푹 고아 우린 맑은 곰탕 국물이 쏟아진다

북쪽 하늘로부터 남으로 곱게 흩뿌려져서
하늘 그물에 걸린 것은 미리내라는 이름으로 빛나고
그 나머지는 지구별까지 내려와 진한 이슬로 풀잎에 맺힌다

고향 생각이 나는 이들은 풀의 등에서 폴짝 뛰어내려
드러누운 채 하늘을 바라다보다가
엄마의 대지를 축축하게 적신다.

아무것도 가진 것이 없어 빈, 허공에 손전등을 비추면
하늘 끝에 가닿는 한 줄기 빛은 신에게로 가는 통로

그 길에 대고 소원을 빌면 신이 응답하시지 않을까
간절히 빌었던 시절이 있었다, 참으로 어두운 나날
그때도 북쪽 하늘을 향했었다

눈이 부신 신께서 귀한 건전지를 낭비한다고
벌을 내리시지는 않을까 걱정하기도 했었던 날들

하늘은 오늘 밤도 추억처럼 진한 곰탕을 엎는다
북두칠성 다시 기울어

대련집

청계천 변
큰 연(蓮)을 키우던 못이 있었을까, 아니면
그곳에 가면 蓮을 대면할 수 있다는 것일까
대련집은 오래된 칼국수 집이다

조금 늦게라도 도착하면
식당 밖까지 북새통을 이루는 노포(老鋪)
칼국수가 큰 양푼에 제 양보다 푸짐하게 나오는
정이 넘치는 곳

파전이 나왔으면 우선, 쭈욱 막걸리 한 잔
한 사발의 시름을 들이킨다
그곳에는 정(情)으로 허기를 채우는 사람들이 있다
친구의 사정을 들어주는 蓮 닮은 순백의 사람들

왁자지껄, 네 말에 귀를 바짝 대고 음량은 높인다
내일은 조금 더 나아지겠지, 희망을 나누어 먹고는
꿈처럼 부푼 배를 두드리며 식당 문을 나선다

허전한 가슴이 조금은 채워져 빈 깡통을 차는 일도 좀 줄어들겠다
거울에 비친 홍조, 웃음으로 확인하고 나오는

오늘 하루도 참 잘 지났다

어느 전도유망했던 중소기업 사장의 죽음

아버지가 따지 못해 남겨진 홍시 서너 개

'까치밥'이라 이름 지어져
감나무 꼭대기에 걸려 있는데

시린 눈 하얗게 쌓인 날 보니
병원 침대 흰 시트에 떨어진 붉은 핏자국 같다

그 홍시에
오늘은
까치가 아니라
콩새가 떼로 몰려들었다

아귀다툼에 홍시 살점 터진다, 피 튀긴다

콩을 먹어 콩새인 줄 알았더니,
이놈들아!

나의 까치는 무얼 먹고 살라고
남의 밥을 모조리 빼앗아 먹나

대추가 붉은 이유

마주 선 두 사람을 멀리서 바라보니
그들은 서로 주먹질을 해대며
구경꾼 서너 명 사이에서 싸우고 있었네
내가 그들 곁으로 가서 보기 전까지는

누가
'인생은 멀리서 보면 희극이요, 가까이서 보면 비극'이라 했는가?

한 사람은 엄마로
서울 올라가는 길에 맛난 거라도 사 먹으라고
허리춤 속주머니 털어 꼬깃꼬깃한
만 원짜리 몇 장을 딸의 손에 쥐어 주고,

그의 딸은 제 돈 더 보태 엄마 용돈 쓰시라고
되돌려주는 그 성스러운 주먹질
왔다가 가기를 수 차례

난 누구의 편도 못 들고
누가 이겨도 좋을, 전쟁 같은 사랑
차에 탄 딸이 조금 연 차창 밖으로
손에 쥐었던 돈을 내던지고 떠나면서 끝난 처절한 그 싸움.

마당가에서 가만히 싸움을 지켜보던 대추나무
가시 달린 나뭇가지로 거푸거푸 매끈한 눈망울을 훔쳐
눈알 붉어졌다

중금속 덩어리를 먹는 야만인

명동성당 옆길의 화단, 예쁜 꽃들 아래엔
알아보는 이 없어 가꾸지 않는
제멋대로 자란 키 작은 까마중
몇 포기가 숨어 산다

이파리를 들추니
올망졸망 새카만 열매들
놀란 눈으로 서로를 감싸 안는다

먹는 것은 추억이어서
맛나게 먹던 어릴 적 생각에
몇 알을 따
입에 털어 넣었다

텁텁 들척지근
혀는 옛 혀가 아닌 것을,

함께 산책하던 친구는
'중금속 덩어리를 먹는 야만인' 같다고 하지만

까만 눈동자에
미안한 마음은 접어 두고서

잠시라도 젖어 들고픈, 한 움큼의 추억

동백의 이소(移所)

빨간 꽃송이가 피어 있는 동백 한 그루 심긴
화분을 인터넷으로 주문했다
시절 참 좋다.

다리 달린 우리가 한자리에
가만히 오래 서 있으면
어지러운 것처럼

사는 자리를 옮기면 나무는
현기증을 느낄까 하는 생각을 해 본다
어지러운 적동백(赤冬柏)이 하얗게 새하얗게 변해서
다시 못 돌아오면 어쩌지

집에 들인 식물을 여러 번
죽여 본 자(者)의 걱정을 아는 것인지,

화분 속 안에서도 뿌리는
고향을 향해 자꾸 남쪽으로 남쪽으로
뻗어 가고 있는 것이다

넘어지지 않으려고

누에

환생(幻生)을 믿는 불교도

두려움도 미련도 없이
묵묵히 자기 관(棺)을 짜는 자

등에는 반달과 별의 무늬를 새겨
비단이 하늘에서 왔음을
알려주는 메신저

봄을 기다리며
제 몸을 바쳐
나방을 맞이할 신부

아, 삶의 순환을 막으려 번데기를 먹는 자 누구인가

도마뱀

간만에 산행 길에 들었다

보고 싶던 호랑이꽃*이며 술패랭이꽃
가끔씩 풀숲에서 고개 내밀어 봐 달라고 한다

한참을 걷고 있자니
어디선가 바스락거리는 소리에
고개 돌려 소리를 따라가 보니
가랑잎 위에 도마뱀 한 마리

손등에 놓고 장난치던 생각에
도망갈까 살금살금 다가서서
등산 스틱으로 꼬리를 지그시 눌러본다

앗!
꼬리를 자르고 도망가는
새끼손가락 같은 도마뱀

뒤도 돌아보지 않고 달아난
새끼손가락 걸었던 그대여

내 맘에 두고 간 그 꼬리는 어쩔 거예요

* 호랑이꽃 : 참나리꽃 (꽃잎의 점박이가 호랑이 무늬 닮았다고 부르는 이름)

눈물은 강하다

몽골 고비사막에는
낙타의 눈물을 흘리게 하는
악사가 산다

서글픈 운율에
아련한 몽골노래가 흐르고,

어미 잃은 새끼를 내치던
낙타의 심금을 울렸던가
드디어 낙타가 제 눈망울 같은
눈물을 떨군다, 눈물이 뜨겁다

유모 낙타가 눈물을 흘리고는
새끼 낙타가 다가오니 어미인 양 제 젖을 물린다

허기를 다 채운 새끼는 유모 뒤만 졸졸 따라다니고
유모는 새끼를 못살게 구는 수컷 낙타들을 물리쳐 준다
자식을 지켜주어야 하는 진정한 '어미'가 된 것이다

눈물을 흘린 이는 강해지는가,
강한 이는 어미인가

작은 것의 세상도 참 복되다

두 개의 방을 가졌다
방 하나에 하나씩 들어앉아 있다

어두운 방에서 눈 감고 명상을 하는 것인가,
조용하니 잠을 자는 듯하기도 하다
작은 열매들 모두가 행복해 보여 좋았다

둘 다 실한 것도 있고
하나만 실한 것도 있다

멀찌감치 내외하는 것도 있고
물론 텅 비인 것도 어쩌다가 있다

정분이 나거나 아예 방이 하나거나
조금 부족한 애들은
둘이 서로를 끌어안고 있기도 하다

아내 지인이 준 한 자루의
피땅콩을 까다 보니
어쩌면 그리도 인간 세상을 닮았는지

허공을 갉아먹고 살을 찌우는
작은 것의 세상도 참 복되다

동주(東柱)를 그리다

손가락 사이
피부기름 벗겨져
허옇게 껍데기가 일어날 때쯤 되어서야

東柱 노래한
〈序詩〉대로 살자고 한
젊은 날의 다짐을 꺼내어 본다

지은 죄가 많아
하늘을 올려다보지 못했고
해서 별도 제대로 볼 수가 없었던 날들

비겁하게도 조그마한 바람조차 모른 척 피해 갔다
한 번이라도 죽어가는 것들에 제대로 아파했던가
돈을 좇아 사느라 시는 쳐다보지도 않았다.

다만, '삶이 詩다'라고 하였으니
말하지 못한 뼛속에 하나하나 새겨진 시어(詩語)들은

훗날 신(神) 앞에 갔을 때
골수로 뽑아 보이겠다

조약돌

인제 덕산리 다리 아래서 조약돌 하나 집어 들었다

어디서부터 구르다 멈춘 것인지
얼마나 큰 바위가 너만큼 닳았는지
언제부터 제 살을 깎으며 속이 그렇게 단단해진 건지

네가 누구인지 알고 싶었지만
도무지 가늠할 수가 없다
너의 배를 가르면 억겁의 나이테를 보여줄 터이냐

물의 속도로 구르며 들었던
여울의 노래를 내 귀에 속삭여 주렴.

그 몸을 더욱 단련하고 단련하며
소양강 댐을 넘고 팔당댐을 지나 마포쯤 왔을 때
새끼손톱만 한 반짝이는 보석이 돼 있을 것으로 안다
그래서 흐르는 강물에 너를 다시 놓아주었던 거다

누가 너를 만나거든 내게 그 보석을 찾았다고 알려 주기를 바라며
마음속에 무얼 담고 있는지 다 알지 못한 첫사랑을 보내듯

수종사에서 종을 치니

수심 가득한 운전자의 눈을 룸미러에 가둔 채
자가용이 가파른 비포장길을
땀 뻘뻘 흘리며 기어오른다

차바퀴가 발가락을 밟아도 아프지 않은가
길 가운데까지 나와서 반갑게 손님을 맞는 소나무 뿌리는
내 머리를 쓰다듬던 뼈가 퉁그러진 할머니 손가락 같다

왠지 지나가는 것만으로도 매였던 마음이
풀릴 것 같은 해탈문을 넘어서고
초의선사의 차향이 스민 삼정헌에서
주지 스님이 내어 준 한 잔의 차로

산 아래 속세에서 가져온 근심이
저기 저 아래 북한강에
조금 떠내려가는 것을 유리창 너머로 내려다본다.

범종 주위 서너 사람의 방문객만 있는 적막한 수종사

종을 쳐보라는 주지 스님 권유에
돌아가며 두세 번씩 종을 치는데

뎅그렁, 덩그러엉
종소리 우렁차 가슴이 열리고
당목 쥐었던 손을 펴니
남아있던 시름이 종소리에 묻어 흩어진다

종을 칠 때마다 풀린 법문이 물마루에 얹혀 흘러가다가
자라의 등을 만나면 한 겹 또 한 겹 쌓이는가 보다

나이 많이 잡순 자라 한 분이 금강경을 다 깨치셨는지
두물머리 아래 소내섬
볕 좋은 바위에 올라앉아 강독 법회를 여셨다

나비와 풍뎅이가 불경 페이지를 넘기려는 듯
자라 선사(禪師)의 두꺼운 등에 올라타고
갈대와 버드나무는 법문을 알아듣는지 연신 고개를 끄덕인다

흐르는 강물도 반짝반짝 윤슬 빛내고

찻잎의 기억

책을 읽다가
휴갓길에 사 온 작설차를
찻물에 우린다

따뜻한 물에 사르르
주름살을 펴는 찻잎은
지난 봄철의 기억을 녹여낸다

먹이 잡을 줄 치던 꽃게거미
까치발로 찻잎 밀고 날아오르던 무당벌레
친구에게 먹이 위치 알려주러 가던 개미, 개미들

곡우를 지나 이슬 내린 찻잎에 찍은
벌레들의 발자국이 찻물에 풀리면
깊이를 더한 차향은 멀리 더 멀리
제 고향 하동까지 다다르겠네

한 잔의 차를 마시며
눈을 감고 찻잎의 기억을 좇으면

어느새 차밭 한가운데 정좌한다
무당벌레도 내 정수리 위에
가부좌를 틀고 앉는다

참소리박물관

신의 소리를 볼 수 있을까 하여
모든 소리가 다 있을 것만 같은 박물관,
강릉 참소리박물관에 들렀다

에디슨이 만들었다는 초창기 축음기가 있고
점자 형태로 만들어 소리를 내는
초기 원시적인 음반들이 있었다

볼 수도 들을 수도 없는 신의 소리.

유모차를 타고 온 아기가
웅얼웅얼 대며
엄마와 눈맞춤을 한다

그곳에서는
신의 대리인인 엄마만 알아듣는
신의 소리를 내는 아이만 보았다

마스크1

설렁탕이 나오기 전 기다리는 시간에는 들어오는 사람들을 구경
하는 맛이 있다 식당에서는 모두 마스크를 벗는다 어떤 이는 독재
자 아내 모양으로 찢어진 눈이어서 그 하관을 마음속으로 그리다
가 마스크를 벗는 순간 입 모양이 왜 그리 이쁜지 빗나간 상상에
혼자서 헛웃음 짓고 또 다른 이는 내 순한 누이와 같이 눈웃음 짓
는 눈매여서 한껏 고대를 하였다가 그 험한 입매를 보고 나니 종일
토록 입맛까지 썼다 마스크를 쓰는 날이 길어져 마주치기가 불편
한 너를 그냥 모르는 체하고 지나치기가 좋아지면 마스크 벗는 날
을 오히려 두려워하겠다 오늘도 가려진 얼굴과 가리어진 마음에
길든 자들, 서로가 서로를 스치운다*

* 스치운다 : 윤동주의 <서시>에서 차용

마스크2_삶은 어리석은 반복

입을 가린 나는
너무 좋아서
남 욕하기가 너무 좋아서
하루 종일 다른 이의 흉만 보다가

집에 돌아와
마스크를 벗은 밤에는
벌거벗은 몸으로 거울에다가
먼지 묻어나는 거울에다가
오늘 지은 죄를 참회해야만 했다
눈을 마주치지도 못한 채로.

새날이 밝으면 또 나는
즐겁게 마스크를 쓸 것이다

흉한 마음이 다 가려지도록

혼잣말이라도 내뱉으면 슬픔이 조금 가실까?

벤치 하나가 공원 가운데로 난 오솔길 옆에 놓여 있다
참 호젓하다

안산의 변두리 공장에서 땀 흘리며 일하다가
전철 타고 버스도 갈아타는 퇴근길
집에 다 와 가던 이가 지쳤는지
잠시 쉬었다 가려고 빈 벤치에 앉았다가
혼잣말을 내뱉고는 떠났다

"너무 힘들어, 왜 나만 이리도 힘든 건가?"

의자 위에서 떠도는 아픈 말을
제 새끼의 똥 치우듯
새가 물어다 버렸다

사람 기척이 있어 바쁘게 달아나던 새의, 깃털 하나가
마음이 가벼워 아무런 근심도 없는 깃털이
허공에서 지그재그로 날다 내려앉은 벤치

일찌감치 혼자 저녁을 때운 노파가
후텁지근한 집에서 나와 지팡이를 짚고 걷다가
힘에 겨웠는지 깃털 옆에 털썩 주저앉는다
그 바람에 깃털은 희망처럼 잠시 날다가 땅에 추락한다

다시, 의자 옆 나무 위에 앉은 새는
물어다가 버릴 노파의 말을 기다린다

나에게 주는
직장생활 41년의 퇴직선물

「 차암 잘 살았다

모든 사람이
자기가 살아 온 이야기
책으로 내면
두꺼운 사전만 하겠다 하겠지만,

생을 축(縮)하고 약(略)하여
얇은 시집 한 권을 얻었다

퇴직하는 나에게
살 집 한 채에
책 한 권
더는 필요하지 않으리.

어이쿠! 참,
꼭 있어야 할 아내를 빼먹었네! 」

이곳까지 읽어주신 독자님께 감사드립니다.

은행 생활 41년 7개월 만에 정년퇴직을 맞으며 저 자신에게 그동
안 애 많이 썼다고 주는 선물로 시집(좀 엉성하지만, 그래도 제 삶
의 일부분인) 한 권을 엮었습니다.

중학교 시절부터 국어 과목을 좋아했고 열정적으로 가르치시던
은사님 덕분으로 詩와 조금 가까이 지냈습니다. 그때의 꿈이 국어
선생님이었을 정도였습니다. 그 시절 울고 있던 저에게 다가와 준
시를 통해 슬픔을 조금 밀어내고 그 자리를 그리움으로 새기는 법
을 배웠습니다. 직장생활을 하면서는 사는 게 바빠서 시와는 먼 삶
을 살아오다 마음의 여유가 조금 생긴 뒤부터 쓰고 지우고를 반복
하다가 이렇게 내놓습니다.

제가 시골 출신이라 기본 정서는 자연입니다. 자주 쇠꼴 베어 오는
것을 놓쳐 아버지께 혼이 나면서도 매일매일 친구, 동생들과 시간
가는 줄 모르고 뒷산을 오르내리고 들판을 뛰어다녔습니다. 그땐
추억으로 남을지도 모른 채 그저 재밌어서 참 좋았습니다.

시를 체계적으로 배우거나 하지 않아서 미숙한 부분이 있고 훔쳐
온 말도 있음을 고백합니다. 부족한 시집을 내놓는 것이 마치 알몸
으로 백주 대로에 나서는 것 같습니다. 그래도 다행인 것은 창피
한 마음보다 시집을 내려는 제 꿈의 크기가 조금은 더 컸다는 것입

니다. 다음 시집이 나올지는 알 수 없지만, 만약에 2집을 낸다면 그때는 깊이를 더한 시집을 내도록 하겠습니다.

부족한 제 시집을 읽어주셔서 감사합니다.

詩 닦는 사람 이 선수 드림.

3행시 – 이선수 · 조효순 부부

김운석(까까머리 중학생 시절 은사님)

< 이선수 >

이 : 이리갈까 저리갈까
　　　망설임도 있었지만
선 : 선택한길 한결같이
　　　사십여년 초지일관
수 : 수고하며 달려온길
　　　박수받아 마땅하네

< 조효순 >

조 : 조용하게 내조하며
　　　임과함께 평생반려
효 : 효성스런 며느리요
　　　사랑하는 따님으로
순 : 순수한맘 시종여일
　　　병여일성 고운심성

※ 추천사를 대신하여 제자 부부를 위한 3행시를 지으시고, 제 시집을 위해 많은 시간을 내셔서 조언해주신 김운석 선생님께 감사의 말씀을 올립니다.

너는 지금 피어나는 꽃

꽃 한 송이에서 그리움을 맡다

발행일 2024년 7월 18일

지은이 이선수
펴낸이 마형민
기획편집 조도윤
디자인 김안석
펴낸곳 (주)페스트북
주소 경기도 안양시 안양판교로 20
홈페이지 festbook.co.kr

© 이선수 2024

ISBN 979-11-6929-537-6 03810
값 15,000원